JUEGO DE

TRONOS

JUEGO DE TRONOS

IN MEMORIAM

CAELUS BOOKS

Argentina • Chile • Colombia • España
Estados Unidos • México • Perú • Uruguay • Venezuela

 Official HBO Licensed Product. © 2015 Home Box Office, Inc.

All Rights Reserved

Publicado originalmente por Running Press, Miembro de Perseus Books Group

Título original: *GAME OF THRONES - IN MEMORIAM*

1ª edición Marzo 2015

Las series de fotos de Juego de Tronos por la fotógrafa principal de la unidad, Helen Sloan

Fotografías adicionales por Paul Schiraldi, Nick Briggs, Macall Polay, Helen Sloan, Oliver Upton, y Keith Bernstein

Mapa por Jacob Taylor

Patrón de diseño por Lauren Houston

Agradecimientos especiales a Joshua Goodstadt, Janis Fein, Cara Grabowski, y Stacey Abiraj

Diseñado por Joshua McDonnell

Editado por Cindy De La Hoz y Robb Pearlman

Tipografía: Gotham y Trajan

Running Press Book Publishers
2300 Chestnut Street
Philadelphia, PA 19103-4371

Copyright © de la traducción 2015 *by* Sergio Bullat
Copyright © 2015 *by* Ediciones Urano, S. A.
Aribau, 142, pral. - 08036 Barcelona
All Rights Reserved

www.caelusbooks.com

ISBN: 978-84-96650-08-4
E-ISBN: 978-84-9944-852-7
Depósito legal: B-2.527-2015

Fotocomposición: Ediciones Urano, S.A.

Impreso por MACROLIBROS, S.L.U.
Polígono Industrial de Argales - Vázquez de Menchaca, 9 - 47008 Valladolid

Impreso en España - *Printed in Spain*

Valar Morghulis

El mundo de *Juego de Tronos* es un lugar
peligroso lleno de deslealtades,
venganzas, fuerzas misteriosas, y guerras.
En este libro recordaremos a muchos
de los que han sucumbido.

Valar Morghulis.

Eddard "Ned" Stark

Casa Stark

"Se acerca el invierno."

Estoico, con un gran sentido del deber, y honorable,
Ned Stark encarna los valores del norte. Luego de
acudir a Desembarco del Rey para servir al lado de
su viejo amigo, Robert Baratheon, Ned toma partido
por la facción equivocada de las intrigas palaciegas
y pagó por ello con su vida.

GARED

GUARDIÁN DE LA NOCHE

"NUESTRAS ÓRDENES ERAN CAPTURAR
A LOS SALVAJES. LOS HEMOS CAPTURADO.
YA NO NOS MOLESTARÁN."

Integrante de la Guardia de la Noche,
Gared fue decapitado por un Caminante Blanco
mientras estaba más allá del Muro.

WILL

GUARDIÁN DE LA NOCHE

"HE VISTO LO QUE HE VISTO.
HE VISTO A LOS CAMINANTES BLANCOS."

Will era un explorador de la Guardia de la Noche que se escapó
de un Caminante Blanco mientras patrullaba al norte del Muro.
Su explicación por haber abandonado su puesto no fue aceptada
como cierta y, acusado de desertar de la Guardia de la Noche,
fue ejecutado por Ned Stark.

DAMA

CASA STARK

Dama era la loba huarga de Sansa Stark.
Luego de que Nymeria, la loba huarga de Arya Stark
atacara a Joffrey en un intento de proteger a su ama,
Cersei Lannister ordenó a Ned matar a Dama como castigo
por el ataque de Nymeria. En contra de los deseos
de su hija, Ned llevó a cabo la tarea.

VISERYS TARGARYEN

CASA TARGARYEN

"NO DESEAS DESPERTAR AL DRAGÓN, ¿O SÍ?"

El único superviviente masculino de la Casa Targaryen,
el joven Viserys, fue enviado con Daenerys, su recién nacida
hermana, a Essos para ponerlos a salvo. En el exilio creció
obsesionado con recuperar el trono de su familia, pero
Khal Drogo lo ejecutó "coronándolo" con oro fundido antes
de que pudiera reclamar su puesto como rey.

ROBERT BARATHEON

CASA BARATHEON

"ME AYUDASTEIS A CONSEGUIR EL TRONO DE
HIERRO. AYUDADME AHORA A MANTENERLO."

Luego de que Rhaegar Targaryen secuestrara a su prometida,
Lyanna Stark, Robert Baratheon lideró una rebelión contra el
Rey Loco Aerys Targaryen. Ayudado por Ned Stark, su amigo
de la infancia, el hermano de Lyanna, Robert fue coronado rey.
Cuando murió inesperadamente en un accidente de caza,
su heredero, Joffrey, reclamó el trono.

Mordane

Casa Stark

"Es importante recordar de dónde vienes."

Septa Mordane sirvió como tutora de la niñas en Invernalia y viajó con ellas a Desembarco del Rey cuando Ned Stark fue nombrado Mano del Rey. Luego de que Ned fuera acusado de traición, los soldados de Lannister mataron a Septa Mordane mientras intentaba proteger a Sansa Stark.

DROGO

"Un Khal no necesita una silla para sentarse. Solo necesita un caballo."

Un fiero guerrero khal que lideró una tribu de jinetes en Essos, Drogo nunca fue vencido en batalla hasta que sucumbió a una herida que se infectó a raíz de la intervención de la maegi de Lhazar, Mirri Maz Duur.

Mirri Maz Duur

"Solo la muerte paga por la vida."

Mirri Maz Duur, maegi de Lhazar fue rescatada por Daenerys
Targaryen luego de ver su villa arder a manos de los khalasar
de Drogo. La maegi traicionó a Daenerys al provocar que
la reina abortase y al reducir a un herido Drogo
a un estado catatónico. Daenerys se vengó al quemar
a Mirri Maz Duur en la pira funeral de los khal.

BERIC DONDARRION

HERMANDAD SIN BANDERAS

"ESO ES LO QUE SOMOS: FANTASMAS.
NO PUEDES VERNOS, PERO NOSOTROS A TI SÍ.
NO IMPORTA LA CAPA QUE LLEVES."

Señor de Refugionegro, Beric Dondarrion llego a Desembarco
del Rey para competir en el Torneo de la Mano, en honor de
Ned Stark, entonces Mano del Rey. Luego de que Gregor Clegane
aterrorizara las tierras de los ríos, Lord Beric recibió el encargo
de Ned de llevarlo ante la justicia. Seguidor de la fe Roja,
Beric ha sido resucitado varias veces por Thoros de My.

CRESSEN

CASA BARATHEON

"DESDE QUE ESE VERRACO MATÓ
A SU HERMANO, CADA SEÑOR QUIERE
SU CORONACIÓN."

Maestro de Stannis Baratheon, Cressen vio con alarma
la creciente influencia de Melisandre sobre Stannis y el rechazo
por parte del rey de la Fe de los Siete. Cuando Cressen intentó
envenenar a la Sacerdotisa roja, fue él quien sucumbió.

RAKHARO

CASA TARGARYEN

*"Nunca te fallaré,
sangre de mi sangre."*

Rakharo era el guardián dothraki de Daenerys,
descendiente de una línea de bloodriders.
Uno de los que permaneció junto a Daenerys
luego de la muerte de Drogo, y el primero en declararla
"sangre de mi sangre". Fue asesinado por un rival
khalasar durante una misión de reconocimiento.

YOREN

GUARDIÁN DE LA NOCHE

"HAS PREGUNTADO SIN BUENAS MANERAS
Y HE DECIDIDO NO CONTESTAR."

Era el reclutador de la Guardia de la Noche que viajó
por todo el reino en busca de nuevos hermanos para
llevar al Muro. Yoren convenció a Arya Stark de alejarse
de Desembarco del Rey tras la ejecución de su padre.
Murió a manos de los hombres de Lannister durante
su viaje para llevar a Arya a Invernalia.

Lommy

"Dos hombres peleando
no es una batalla."

Un Guardián de la Noche reclutado de Desembarco del Rey
que viajaba hacia el norte con Arya Stark, Lommy fue herido
cuando su caravana fue detenida y luego asesinado por
Polliver, un soldado de Lannister. Arya le dijo a los hombres
del rey que el asesinado era Gendry, consciente de que
los soldados lo estaban buscando.

RENLY BARATHEON

CASA BARATHEON

"¡AH!, TÚ DEBES SER ESA SACERDOTISA DEL FUEGO
DE LA QUE HEMOS ESCUCHADO TANTO HABLAR.
MMM, HERMANO... AHORA ENTIENDO POR QUÉ
HAS ENCONTRADO LA RELIGIÓN A TU
AVANZADA EDAD."

El más joven de los tres hermanos Baratheon.
El buen gusto y la simpatía de Renly lo convirtió en
una persona popular en la corte. Creía fervientemente
que sería un mejor rey que su hermano Stannis o que
su sobrino Joffrey, pero no vivió para demostrarlo.

Irri

Casa Targaryen

"Se sabe."

Una sirvienta que enseñó a Daenerys la lengua Dothraki y sus costumbres. Irri permaneció con su khaleesi luego de la muerte de Drogo. Fue asesinada cuando robaron los dragones de Daenerys.

Beric Dondarrion

Hermandad sin banderas

"Eso es lo que somos: fantasmas. No puedes vernos, pero nosotros a ti sí. No importa la capa que lleves."

Señor de Refugionegro, Beric Dondarrion llego a Desembarco del Rey para competir en el Torneo de la Mano, en honor de Ned Stark, entonces Mano del Rey. Luego de que Gregor Clegane aterrorizara las tierras de los ríos, Lord Beric recibió el encargo de Ned de llevarlo ante la justicia. Seguidor de la fe Roja, Beric ha sido resucitado varias veces por Thoros de My.

RODRIK CASSEL

CASA STARK

"Debí haber puesto una espada en
tu estómago antes que en tu mano."

Maestro de Armas de Invernalia, Ser Rodrik sirvió como
asesor principal de seguridad y militar de la Casa Stark.
Fue decapitado toscamente por Theon Greyjoy.

El Rey de las Especias

"Perdóneme, pequeña princesa,
pero no puedo hacer una inversión
basado en deseos o sueños."

Miembro de los Trece de Qarth, el Rey de las Especias
nunca le dijo a Daenerys su verdadero nombre.
Fue asesinado, con otros miembros de los Trece,
por Pyatt Pree.

MATTHOS SEAWORTH

CASA BARATHEON

"ESTA NO ES UNA LOCURA.
ESTA ES LA MANERA."

A diferencia de su padre Davos Seaworth, Matthos
era un verdadero creyente del Señor de la Luz.
Murió en la Batalla de Aguasnegras.

LUWIN

CASA STARK

"TAL VEZ LA MAGIA HAYA SIDO UNA FUERZA PODEROSA, PERO YA NO LO ES.."

Maestro de Invernallia, Luwin proveía sabios consejos a los Starks. Fue asesinado por los hombres de Greyjoy después de que Theon capturase el castillo.

Pyat Pree

"La madre de los dragones debe estar con sus crías. Ella les dará amor y ellos crecerán a su lado…por siempre."

Un mago de Qarth, Pyat Pree era un miembro de los Trece que se encontró con Daenerys fuera de los muros de la ciudad. Se alió con Xaro Xhoan Daxos para apresar a Daenerys y robarle sus dragones, pero fue asesinado cuando Daenerys ordenó a los dragones quemarlo.

Qhorin Mediamano

Guardián de la Noche

"Somos los vigilantes en el muro."

Era un explorador de la Guardia de la Noche. Qhorin
se ganó el apodo luego de perder la mayor parte
de su mano derecha en una pelea con un salvaje.
Asentado en la Torre Sombría, se unió a la avanzada
de Lord Comandante en El puño de los Primeros Hombres
y tomó bajo su protección a Jon Nieve. A pedido de Qhorin,
Jon Nieve lo mató para poder infiltrarse entre los salvajes.

Beric Dondarrion

Hermandad sin banderas

"Eso es lo que somos: fantasmas.
No puedes vernos, pero nosotros a ti sí.
No importa la capa que lleves."

Señor de Refugionegro, Beric Dondarrion llego a Desembarco
del Rey para competir en el Torneo de la Mano, en honor de
Ned Stark, entonces Mano del Rey. Luego de que Gregor Clegane
aterrorizara las tierras de los ríos, Lord Beric recibió el encargo
de Ned de llevarlo ante la justicia. Seguidor de la fe Roja,
Beric ha sido resucitado varias veces por Thoros de My.

DOREAH

"HUBO UN TIEMPO EN EL QUE HABÍA DOS LUNAS EN EL CIELO, PERO UNA SE ACERCÓ DEMASIADO AL SOL Y SE ROMPIÓ POR EL CALOR. DE ELLA SALIERON MILES DE DRAGONES QUE SE BEBIERON EL FUEGO DEL SOL.."

Una antigua concubina que trabajó en las casas de placeres de Lys, Doreah fue un regalo de Viserys a Daenerys. Ansiosa por mejorar su propia posición, Doreah se alió con el noble de Qarth, Xaro Xhoan Daxos y ayudó a robar los dragones de Dany. Dany los encerró a ambos en una bóveda vacía cuando descubrió su traición.

Xaro Xhoan Daxos

"A pesar de todo, aquí estoy,
un primitivo de las islas del verano
y Qarth aun permanece."

Un rico mercader de especias de Qarth, Xaro Xhoan Daxos
fue el miembro de los Trece que habló en favor de Daenerys
cuando ella llegó a Qarth. Conspiró con Pyat Pree para
tomar la ciudad y apoderarse de los dragones de Daenerys,
y fue encerrado en su bóveda con Doreah cuando
Daenerys descubrió su traición.

CRASTER

"CUANDO ESTÁS LO MÁS AL NORTE POSIBLE, SOLO TE QUEDA UNA DIRECCIÓN HACIA LA CUAL IR."

Al ser el salvaje que vivía más cerca del Castillo Negro, Craster albergó a los hombres de la Guardia de la Noche a cambio de vino y herramientas. Un anfitrión poco generoso que convirtió a sus hijas en sus mujeres. Craster era tolerado por el Lord Comandante Mormont solo por necesidad. Él y el Lord Comandante murieron durante un levantamiento liderado por los hermanos de la Guardia de la Noche.

JEOR MORMONT

GUARDIÁN DE LA NOCHE

"CUANDO LOS MUERTOS Y ALGO PEOR VENGAN A CAZARNOS DURANTE LA NOCHE, ¿CREES QUE IMPORTA QUIÉN SE SIENTA EN EL TRONO DE HIERRO?"

Un formidable guerrero que renunció a su derecho a reclamar su casa ancestral de Isla del oso para asumir el comando de la Guardia de la Noche. El Lord Comandante Mormont era conocido por sus tropas como "el Viejo Oso". Padre del caballero caído en desgracia Jorah Mormont, tomó a Jon Nieve bajo su protección. El Lord Comandante fue asesinado por uno de sus propios hombres durante un motín en el Torreón de Craster.

Kraznys

"¿Habla Valaryan?"

Maestro esclavizador en Astapor, Kraznys entrenaba
y ofrecía a los famosos soldados Inmaculados de la ciudad.
Accedió a vender su ejército entero a Daenerys a cambio
de un dragón, pero Drogon lo mató por órdenes
de Deanerys.

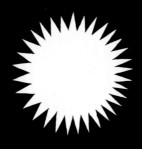

RICKARD KARSTARK

CASA KARSTARK

"EN LA GUERRA MATAS A TUS ENEMIGOS."

Como jefe de la Casa Karstark, una vieja familia del norte
que podía trazar su linaje hasta la Casa Stark y los Primeros
Hombres, Lord Karstark rápidamente acudió al llamado de
Robb Stark cuando se alzó en armas. Su hijo murió a manos
de Jaime Lannister, pero la congoja de Karstark se convirtió
en furia cuando Catelyn Stark dejó libre al Matarreyes.
Fue decapitado por el rey Robb cuando asesinó
a dos jóvenes Lannister secuestrados, e insultó
abiertamente a Robb por casarse con Talisa.

Ros

"No es fácil para chicas como nosotras."

Una prostituta del Norte que viajó a Desembarco del Rey, Ros ayudó a Meñique a llevar su burdel. Cuando Meñique descubrió que era una espía de Varys, la ofreció a Joffrey para satisfacer la sed de sangre del rey. Joffrey la mató con su ballesta.

Beric Dondarrion

Hermandad sin banderas

"Eso es lo que somos: fantasmas.
No puedes vernos, pero nosotros a ti sí.
No importa la capa que lleves."

Señor de Refugionegro, Beric Dondarrion llego a Desembarco
del Rey para competir en el Torneo de la Mano, en honor de
Ned Stark, entonces Mano del Rey. Luego de que Gregor Clegane
aterrorizara las tierras de los ríos, Lord Beric recibió el encargo
de Ned de llevarlo ante la justicia. Seguidor de la fe Roja,
Beric ha sido resucitado varias veces por Thoros de My.

CAMINANTE BLANCO

Mientras se dirigían hacia la seguridad del Castillo Negro, Samwell Tarly y Gilly se encontraron a un Caminante Blanco, que había venido a llevarse al bebé de Gilly. Instintivamente, Sam mató a este Caminante Blanco acuchillándolo en la espalda con una daga de obsidiana.

TALISA STARK

CASA STARK

"HE DECIDIDO QUE NO MALGASTARÉ MIS
AÑOS PLANIFICANDO BAILES Y ENCUENTROS
CON OTRAS DAMAS NOBLES."

A pesar de ser una dama de alta alcurnia de Volantis, Talisa estudió artes médicas. Tras un breve y apasionado cortejo, ella y Robb Stark se casaron, rompiendo una promesa que Robb le había hecho a Walder Frey. Talisa, Robb, y Catelyn Stark fueron posteriormente asesinados por un vengativo Lord Walder, que actuaba al servicio de Tywin Lannister.

VIENTO GRIS

CASA STARK

Viento Gris era el lobo huargo de Robb Stark.
Fue matado durante la masacre conocida
como Boda Roja.

ROBB STARK

CASA STARK

"PRONTO ESTAREMOS TODOS JUNTOS.
LO PROMETO."

Como Lord de Invernalia y luego Rey de el Norte, Robb siempre
asumió las responsabilidades que correspondían a sus títulos.
El error de Robb fue casarse con Talisa Maegyr cuando ya estaba
comprometido con una Frey. En venganza, Lord Walder Frey
orquestó la muerte de Robb, Talisa, y Catelyn mientras oficiaba
de anfitrión de los Starks durante la boda de su hija.

CATELYN STARK

CASA STARK

"TODO ESTE HORROR QUE CAE SOBRE
MI FAMILIA ES PORQUE NO PUDE AMAR
A UN NIÑO SIN MADRE."

Catelyn se casó con Ned Stark luego de que el Rey Aerys
ejecutara al hermano de Ned, Brandon, con quien Catelyn estaba
comprometida. Aunque ella y Ned apenas se conocían en el
momento de casarse, su amor fue creciendo con los años. Tras
la muerte de Ned, Catelyn intentó reunir a su familia, pero fue
asesinada junto con su hijo Robb y su nuera Talisa, en Los Gemelos.

POLLIVER

CASA LANNISTER

"ESTOS SON LOS COLORES DEL REY.
NADIE SE INTERPONE EN SU CAMINO AHORA,
LO QUE SIGNIFICA QUE NADIE SE INTERPONE
EN EL NUESTRO."

Polliver era uno de los soldados de Lannister que detuvo
a Arya Stark y a los reclutas de la Guardia de la Noche
en su camino al Castillo Negro. Cuando Polliver asesinó
a un recluta llamado Lommy con la espada de Arya, se ganó
un lugar en la lista de muertos de Arya. Arya y el Perro
encontraron a Polliver en las tierras de los ríos, donde ella
lo asesinó de la misma forma que él había matado a Lommy.

Joffrey Baratheon

Casa Baratheon

"Todos son míos, para atormentar."

Sobreprotegido y cobarde, el rey Joffrey exhibía
una crueldad contra los vulnerables, una actitud
que su tío Tyrion no tenía paciencia para soportar.
Joffrey fue asesinado con vino envenenado durante
la celebración de su boda con Margaery Tyrell.

Dontos Hollard

Casa Hollard

"Tómalo. Póntelo. Deja que mi nombre tenga un momento más bajo el sol antes de desaparecer del mundo."

Ser Dontos era el último sobreviviente de la Casa Hollard, una familia destruida por Aerys II. Sansa Stark lo salvó de la muerte después de que ofendiera al rey Joffrey durante la celebración de su onomástico. Como muestra de gratitud, él ayudo a Sansa a escapar tras el asesinato de Joffrey, aunque terminó siendo asesinado por Meñique.

BERIC DONDARRION

HERMANDAD SIN BANDERAS

*"Eso es lo que somos: fantasmas.
No puedes vernos, pero nosotros a ti sí.
No importa la capa que lleves."*

Señor de Refugionegro, Beric Dondarrion llego a Desembarco
del Rey para competir en el Torneo de la Mano, en honor de
Ned Stark, entonces Mano del Rey. Luego de que Gregor Clegane
aterrorizara las tierras de los ríos, Lord Beric recibió el encargo
de Ned de llevarlo ante la justicia. Seguidor de la fe Roja,
Beric ha sido resucitado varias veces por Thoros de My.

Lysa Baelish

Casa Tully / Casa Arryn

"Eso es lo que le pasa a gente que se interpone entre Peter y yo. ¡Mira abajo! ¡Mira abajo! ¡Mira abajo!"

La joven hermana de Catelyn Stark, Lysa, se casó con el anciano Jon Arryn, el antiguo Mano del Rey cuando Robert Baratheon lideró su rebelión contra el rey loco Aerys. Tras la inesperada muerte de su marido, Lysa se fue a Eyrie, para evitar la guerra y vigilar de cerca a su hijo Robin. Se casó con el amor de su juventud, Petyr "Meñique" Baelish, quien la cortejó para conseguir la región para el reinado. Pero luego la mató empujándola fuera de la Puerta de la Luna cuando amenazó a su sobrina, Sansa.

OBERYN MARTELL

CASA MARTELL

"DILE A TU PADRE QUE AQUÍ ESTOY.
Y DILE QUE LOS LANNISTERS NO SON
LOS ÚNICOS QUE PAGAN SUS DEUDAS."

Un príncipe de Dorne, Oberyn Martell era también un feroz guerrero al que llamaban "la Víbora Roja" Pasó un tiempo en la Ciudadela pero abandonó los estudios antes de conseguir todos los eslabones de maestre. El príncipe Oberyn fue asesinado por Gregor "La montaña" Clegane, mientras servía como campeón de Tyrion Lannister, durante el juicio por combate que se le hacía a este a raíz del asesinato del rey Joffrey.

Pyp

Guardián de la Noche

"Nunca antes he arrojado una lanza, nunca he sostenido una espada con buen filo. Este no es lugar para mí."

Un recluta que se unió a la Guardia de la Noche tras ser acusado de robar, Pyp revelaría luego a sus hermanos que no fue un robo lo que lo llevó al Muro, sino negarse a tener relaciones sexuales con un noble. Pyp permaneció en el Castillo Negro mientras los exploradores se adentraban más allá del muro. Fue asesinado por una flecha de Ygritte durante la batalla del Castillo Negro.

Mag el poderoso

Un gigante al servicio de Mance Rayder,
Mag fue asesinado durante la batalla del Castillo Negro.

GRENN

GUARDIÁN DE LA NOCHE

"LOS DIOSES NO ESTÁN AQUÍ ABAJO.
SOLO NOSOTROS SEIS. ¿ME ESCUCHÁIS?"

Un fuerte pero lento recluta que se unió a la Guardia
de la Noche al mismo tiempo que Jon Nieve, de quien
al principio recelaba por su arrogancia. Luego los dos
se convirtieron en amigos cuando Jon le enseñó a utilizar
la espada a él y a Pyp. Grenn murió durante la batalla
del Castillo Negro, pero no antes de defender
la puerta del túnel contra los salvajes.

Styr

"Tal vez todo esté mejor alimentado aquí abajo. Gordos y perezosos. Más fácil para nosotros."

Líder de los salvajes de Thenn, Styr era un feroz
guerrero con hambre por la carne humana.
Fue asesinado por Jon Nieve durante la batalla
del Castillo Negro.

YGRITTE

Ygritte era una mujer salvaje que Jon Nieve encontró
en sus viajes más allá del muro. Sus opiniones
controvertidas ponían en duda las ideas de Jon sobre
la Guardia de la Noche, y después de que Jon se Infiltrara
en las filas de los salvajes, ambos se enamoraron.
La dejó para volver al Castillo Negro solo para verla
morir cuando los salvajes atacaron la fortaleza.

Beric Dondarrion

Hermandad sin banderas

"Eso es lo que somos: fantasmas.
No puedes vernos, pero nosotros a ti sí.
No importa la capa que lleves."

Señor de Refugionegro, Beric Dondarrion llego a Desembarco
del Rey para competir en el Torneo de la Mano, en honor de
Ned Stark, entonces Mano del Rey. Luego de que Gregor Clegane
aterrorizara las tierras de los ríos, Lord Beric recibió el encargo
de Ned de llevarlo ante la justicia. Seguidor de la fe Roja,
Beric ha sido resucitado varias veces por Thoros de My.

Jojen Reed

Casa Reed

"Eres un huargo, Bran.
Esta en tu sangre."

El único hijo de Howland Reed, Lord de Atalaya
de Aguasgrises— que peleó junto a Ned Stark durante
la rebelión de Robert— Jojen experimentó visiones
similares a las de Bran Stark. A pesar de la protección
de su hermana Meera, Jojen murio en un ataque de
espectros mientras viajaba con Bran, Hodor,
y su hermana más allá del muro.

SHAE

"¿Tienes miedo, mi león?"

Shae es una seguidora del ejército que causó
una impresión inmediata en Tyrion Lannister.
Tyrion llevó a Shae consigo a Desembarco del Rey
pero la abandonó por su propia seguridad luego de
que él se casara con Sansa Stark. Shae denunció a Tyrion
cuando fue juzgado por el asesinato del Rey Joffrey.
Tyrion la mató cuando la encontró en la cama de su padre.

TYWIN LANNISTER

CASA LANNISTER

"UN LEÓN NO SE PREOCUPA
DE LAS OPINIONES DE UNA OVEJA."

Como Mano de Aerys Targaryen y el más rico de Poniente,
Tywin era considerado el verdadero gobernador del reino,
una suposición que irritaba al rey loco. Tywin retornó a
Desembarco del Rey para servir como Mano de sus nietos
Joffrey y Tommen; cuando ellos asumieron el trono, una vez
más se convirtió en gobernador de facto del reino. Fue asesinado
por su hijo, Tyrion, durante su escape de Desembarco del Rey.

TODOS LOS HOMBRES DEBEN MORIR.

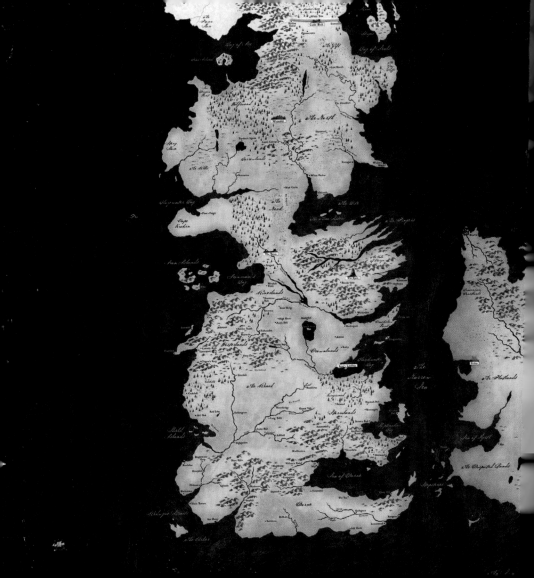